벌떼가 쫓아와요

벌떼가 쫓아와요

발 행 | 2024년 9월 1일
저 자 | 김명원
펴낸이 | 한건희
펴낸곳 | 주식회사 부크크
출판사등록 | 2014.07.15(제2014-16호)
주 소 | 서울특별시 금천구 가산디지털1로 119 SK트윈타워 A동 305호
전 화 | 1670-8316
이메일 | info@bookk.co.kr

ISBN | 979-11-419-0220-9

www.bookk.co.kr

벌떼가 쫓아와요

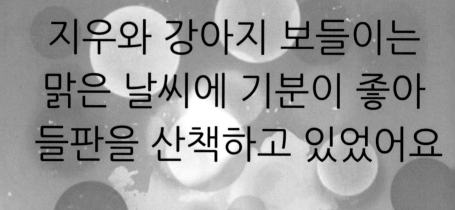

지우와 강아지 보들이는
맑은 날씨에 기분이 좋아
들판을 산책하고 있었어요

보들이는여기저기 냄새를
맡으며 돌아다녔죠

그런데 보들이가
갑자기 수풀 속으로
뛰어 들어 갔어요

보들이가 찾은 것은
커다란 벌집이었죠

그런데 보들이가
그걸 그만
건드리고 말았어요

툭!
벌집이 떨어졌어요

보들아 뭘 한거야?
벌이 나타나기 전에
도망가자

지우는 잔뜩 긴장했지만
보들이는 해맑게
헥헥거릴 뿐이었어요

어? 벌이
나타났다?

뷰웅

벌들의 날갯짓 소리에

지우와 보들이는

깜짝 놀랐어요

보들아

도망가!

지우와 보들이는

벌을 피해 도망쳤어요

우리 손녀 어딜
그리 바쁘게 가니?

할아버지가 지우를
발견하고 손을 흔들었어요

뭐, 뭐야?

벌떼잖아?

으허헉

할아버지와 둘은
벌을 피해
도망쳤어요

어머?
우리 지우 어디 가니?

장보고 오시던 할머니가
지우와 할아버지를 보곤
천천히 걸어오셨어요

어머나?

버...벌이잖아!

할머니와 셋은

벌을 피해 도망쳤어요

요~
다들 왜 그리 바빠요?
지우야 어디가?

시내에 일을 보고 오신
아빠가 반갑게
인사를 건넸어요

으아악!

벌떼다!

아빠와 넷은

벌을 피해 도망쳤어요

어? 지우야!
이게 무슨 소동이야?

빨래를 널던 엄마가
달리는 사람들을 보면서
물었어요

꺄아악!

벌이다!

엄마와 다섯은

벌을 피해 도망쳤어요

지우야 나랑 놀자

근데
다들 왜그렇게 뛰어가요?

시원한 냇물에
발 담그고 놀던 언니가
궁금해서 물었어요

아?

도, 도망가야해!

언니와
여섯은

벌을 피해
도망갔어요

지우~ 내 농구실력 볼래?

운동장에서 농구를 하던
오빠가 지우를 불렀어요

근데 다들
왜 그렇게 뛰어요?

이.. 이게 뭐야!

으ㅇㅇㅇㅇ으아...

도망가자!

모두
도망쳤어요

일행 앞에
커다란 연못이
나타났어요

이때 너나할 것없이
모두가
같은 생각을 했어요

보들아!
물에 뛰어들어!

지우가 다급하게
외쳤어요

보들이는
여전히 해맑네요

할멈, 내 모자 쓰고
물에 뛰어들어!

할아버지가 할머니에게
모자를 씌워줬지요

할머니는 이 위급한 순간에
웃음이 났답니다

벌에 쏘이기 전에
어서 물어 들어가자!

언니와 오빠도
물에 뛰어들었어요

여보
우리도 빨리
물에 들어가자

아빠와 엄마도
재빨리
물속에 뛰어들었어요

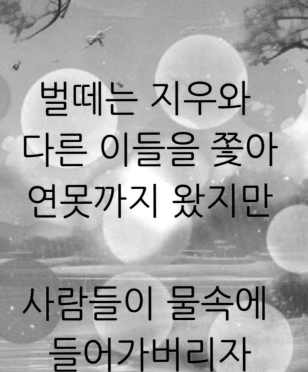

벌떼는 지우와
다른 이들을 쫓아
연못까지 왔지만

사람들이 물속에
들어가버리자
당황했어요

물 밖으로 나가면
큰일나!
꾹 참아야 해!

지우는
물속에서 숨을
꾹 참고 견뎠어요

우우웅

벌들은 지우랑
다른 사람들이
물밖으로 나오면
침을 쏘려고
물위를 배회했어요

우우웅

지우와 사람들은
중간중간
물밖에 코를 내밀어
숨을 쉬면서 상황을
지켜봤어요

벌들이 떠나기만을
기다렸어요

얼마쯤 지났을까

기다리다 지친 벌들이
벌집으로
돌아갔어요

드디어 물 밖으로
고개를
내밀 수 있게 되었네요

푸하!

모두 기쁨과 안도의
큰 숨을 쉬었어요

모두
저녁이 될때까지
물가에서 놀다가
집에 갔어요

벌이 나타날까봐
무서웠던건
비밀이에요

아,
지우와 보들이는
지금도 행복하고
즐겁게 지내고 있답니다

우리의 문장을 싣고 달리자

김이설의 『우리의 정류장과 필사의 밤』에 부쳐

구병모

2009년에 김이설 작가의 『나쁜 피』를 우연히 골라 읽었던 데에는 몇 가지 사소해 보이지만 중요한 요인이 있었다. 첫째, 우선 보자마자 누구라도 레오 카락스Leos Carax를 떠올리지 않을 수 없는 심플하고도 강렬한 제목. 둘째, 당시 보편적이지는 않았던 경장편이라는 분량에 대한 호기심. 현재는 200자 원고지 500매 내외의 경장편 양식이 자리를 잡았고 이 작가정신 〈소설,향〉 시리즈는 400매 남짓의 중편소설을 대상으로 하고 있으며, 그 외에 출판사마다 다양한 시도들을 통해 전

체적으로 소설 한 권의 분량이 짧아지는 경향을 보이고 있는데—이 요인에 대해 '긴 글을 읽지 못하는 세대' 등 우려의 시선들이 있지만 지금은 그것을 언급하지 않기로 한다—2009년 당시만 해도 소비자들은 한 권의 소설이 경장편 분량인 경우 책값의 가성비가 좋지 않고 양에 차지 않는다는 반응을 보였던 무렵이고, 나는 그처럼 호불호 갈리는 방식의 출간 시도가 앞으로 본격화될 것 같다는 예감이 들었다.

그때의 나는 사이즈가 큰 대하소설 같은 건 펼칠 엄두가 안 났다. 돌봄이 필요한 아기 옆을 상시 밀착마크하면서 한자리에 앉아 소설을 세 페이지 이상 넘길 만큼 한가롭지 않았다. 자연히 읽지 못한 책들만 쌓여가고, 문장에 대한 갈증으로 목이 타들어가는 한편, 한 권의 책을 기어이 '마쳤다'라는 성취감이 절실한 시기였다. 그런 하찮은 격려나마 필요로 했던, 외부의 세계와 철저히 고립되어 돌봄노동에 거의 모든 기력을 쏟아야 하는 상태였다. 그렇게 소진하고 나면 바닥난 연료로 마지막 피치를 올리는 폭주 기관차가 되어야 한 줄의 글이라도 읽거나 쓸 수 있었다. 비록 다음 날 아침이면 잊히거나 지워지더라도.

사전에 작가의 작품 세계를 알아보지도 않고 구입한 동기는 그렇게 단순했지만, 지금 생각하면 그것조차도 본능적인 감식안의 결과였던 듯하다. 매 순간 치명상을 입히기에 가장 적합한 자리에 정확하게 칼을 꽂는 듯한 단문, 뒤돌아보지 않고 균열과 파열로 직진하는 인물들의 행동과 정서가, 내 선택이 현명했음을 보여주고 있었다. 얼마 지나지 않아 나는 우연히 발견한 작가의 블로그를 염탐하기 시작했고, 벼린 송곳 같은 필체로 억압과 정념을 꿰어다 집요한 분노로 달구는 작가가 실은 나와 다르지 않은 일상에서 목하 돌봄 노동 중이라는 것을 알게 되어 댓글로 말을 걸었다. 그전까지는 온라인에서도 낯을 가리는 건 아니나 시간을 들여 천천히 다가가는 편이었는데, 이건 무슨 충동이었을까. 소설만 보아서는 어딘가 수라修羅의 세계에 거한 듯이 보였던 작가와 나이대며 처지가 비슷하다는 친근감으로 무장해제되었다는 것이 가장 그럴듯한 이유겠지만, 근본

적으로는 혼자가 아니라고, 여기에도 공허와 막
막함 속에 한 글자씩 어떻게든 눌러쓰는 사람이
있다고, 가장 아름답고 생기에 넘쳐 문학에 투신
하기 좋은 시기에 우리는 그 생기의 대부분을 가
족 대소사와 관련 노동에 투입하고 있지만, 그래
서 가끔은 개점휴업 상태인 것만 같은 자괴감에
도 시달리지만, 최소한 셔터를 내리지 않는다고,
멈추지도 꺼지지도 않을 거라는…… 반딧불이만
한 신호를 보내고 싶었는지도.

그날부터 우리는 처음으로 동석하여 마주하는
날까지, 랜선 너머의 동료에게 수시로 응원을 보
냈다. 서로가 추구하는 문학에 대한 이야기나 읽
은 책에 대한 이야기도 나눴지만 대부분의 화제
는 근본적으로 해결 불가능한 돌봄의 어려움이
었고, 질병과 고통에 대한 두려움이나 일상의 노
동에서 비롯한 고민들을 호소하며 매달리고 푸
념하는 건 부끄럽게도 주로 내 쪽이었던 것 같다.
2017년 말에 있었던 페미니즘 단편소설집 관련
행사까지 다 포함하여 10년 동안 열 번도 못 만났
을 정도로 우리에게는 물리적 거리를 포함한 각

종 애로 사항이 있지만, 지쳐 모든 것을 놓아버리고 싶을 때 멀리 있는 그녀가 오늘도 힘내고 있다는 사실을 생각하면, 그러던 끝에 이렇게 신작 소설을 무사히 펴냈다는 걸 떠올리면, 정신이 맑아진다. 2016년의 어느 날 그녀가 소설집 『오늘처럼 고요히』의 면지에 적어준 문구인, 오래오래 같이 쓰자는 다짐을 잊지 않을 수 있다.

*

이번에야말로 안 되면 던지자, 같은 불가능한 결심만 10년 넘게 반복하던 시절의 나를 오려내다 거기 갖다붙인 줄 알았다. 『우리의 정류장과 필사의 밤』 속에 나타난 여성의 숨막히고 진저리나는 삶에 대한 이야기다. 몇몇 문장과 장면에서 눈길이 멈출 때마다, 잊은 척했던 환멸이 속에서 치받쳐 오른다. 그런 상태를 감내하고 통과해본 사람이 알 수 있는 감각이다.

소설 속 인물이 겪는 환난은 보통 사람들이 어쩌면 배부른 투정으로 치부할 법한, 비극이라기

보다는 그저 일생의 일부인 일상에 불과하다. 주인공이 잠시만이라도 집을 떠나고 싶어 하는 마음, 열무김치와 쓰레기와 싱크대와…… 무엇보다도 어린 조카들을 어깨에서 내려놓고 한 줄의 시를 필사하고 싶다는 소망은, 누군가에게는 사치스러운 소리다. 목련빌라 한 채가 있으니 당장 가족이 거리로 나앉은 게 아니며, 조금씩 덜 입고 덜 쓰면서 내일을 위해 궁색한 오늘을 견디는 것이 운명 공동체의 도리인데. 하필 가부장이 부재한 마당에 제 몸 혼자 쏙 빠져나가 시를 쓰고 싶다니. 직장도 벌이도 없는 주제에, 집에 눌어붙어 아이들이나 잘 건사할 생각을 하는 게 아니라. 이렇게 소설 속 상황을 거칠게 요약하고 나면 보편의 시각에서는 철없고 이기적인 장녀로 보일 뿐이다.

남편의 폭력에서 피신해 온 동생은 돈을 벌어 부모, 언니, 아이들로 이루어진 여섯 식구를 먹여 살리고, 그녀는 동생의 아이들을 돌보며 세끼 밥상을 차려내고 치우는 일에 치여 시의 언어에서 점점 멀어져만 간다. 일견 효율적인 역할 분담으로 보인다. 게다가 동생은 문학의 꿈을 키우는 언

니를 위해 학비도 지원해준 조력자이니, 그 아이
들을 전담하는 건 그녀가 마땅히 갚아야 할 채무
이기도 하다. 지극히 상식적이고 합당한 생활의
공유에도 불구하고, 그녀는 돌봄노동이 끼어드는
순간 삶의 비중을 피자 조각처럼 분배하는 일이
불가능하다는 것을 알게 된다. 누군가는 해야 하
는 일이며 자신이 그것을 감당하는 것이 당연한
귀결이라고 여기면서도, 아이들과 반찬과 청소가
자신의 삶을 침식하고 마침내 장악하는 것을 견
딜 수 없다. 그것은 단지 자리에 앉아 연필을 쥘
시간을 송두리째 빼앗겼다는 물리적인 현실에서
만 도출되는 좌절이 아닐 터였다.

　예를 들어 나의 경우, 언어를 잃어간다고 느끼
는 것이 제일 큰 공포였다. 우는 아이를 달래면서
책을 펼칠 수 있는 사람은 많지 않다. 아이들을 재
울 때는 그 자신도 완전한 어둠 속에 함께 잠겨야
한다. 잠들지 않으려는 아이들을 토닥거리는 동
안 어른이 먼저 잠의 심해에 삼켜질 때도 부지기
수다. 깨어나서는 아이들의 언어로, 소설 속 아이
들을 예로 들자면 4세와 6세가 이해할 수 있는 이

야기를 해주어야 하고 책을 읽어줄 때도 마찬가지다. 자신이 선호하거나 지향하는 언어를 고르고 가다듬기 위해서는 아이들에게 이야기하는 일상과는 별도의 시간, 그것도 지속과 집중이 가능한 시간을 내야 하는데 하루는 24시간이다. 모유수유가 끝난 뒤로도 나는 새벽까지 내내 잠들지 않는 아이를 길러낸 경험 끝에, 나름의 규칙과 질서와 계획이 어그러지고 결국 만물이 가장 귓가를 간질이며 말을 걸어오는 밤이나 새벽 시간대에는 아예 글을 쓸 수 없는 몸이 만들어지기까지 언제나 언어를 잃는다는, 문장을 직조할 수 없으리라는 공포 속에 살았다.

북 콘서트나 인터뷰 때 단골 질문 가운데 하나로 "하루 중 어느 시간대에 글이 가장 잘 써지세요?"가 있다. 거기에 이런 구체적인 부연이 따라붙을 때도 있다. "어떤 작가들은 새벽같이 일어나 달리기를 한 다음 9시부터 5시까지 딱 집중해서 쓴 다음 그 뒤로는 온전히 자기만의 시간을 갖는다던데요, 완전히 출퇴근하는 직장인처럼요. 한편 많은 작가들은 완전한 야행성으로 밤과 새벽